ESTEBAN EL PLANO

ESTEBAN EL PLANO

Por Jeff Brown

Ilustrado por Steve Björkman

SCHOLASTIC INC.
New York Toronto London Auckland Sydney
Mexico City New Delhi Hong Kong

A J.C. y a Tony
—J.B.

Originally published in English as *Flat Stanley*.

Translated by Rosana Villegas Redondo.

ISBN 0-439-28490-2

12 11 10 9 8   7 8 9/0

Printed in the U.S.A.

First Scholastic printing, September 2001

CONTENIDO

Capítulo uno

El gran tablero

El desayuno estaba listo.

—Voy a despertar a los niños —le dijo la señora Chuleta a su esposo, Jorge Chuleta.

Justo en ese momento, Arturo, su hijo menor, empezó a gritar desde la habitación que compartía con su hermano Esteban.

—¡Eh! ¡Vengan a ver! ¡Eh!

A los señores Chuleta les preocupaban los modales y el vocabulario de sus hijos.

—"Eh" es para llamar a los animales, Arturo, no a las personas —dijo el señor

Chuleta al entrar en la habitación—. Que no se te olvide.

—Perdón —dijo Arturo—. ¡Pero miren! —y señaló la cama de Esteban. Sobre ella estaba el enorme tablero que el señor Chuleta les había regalado a los chicos la Navidad anterior para que colgaran fotografías, notas y mapas. Se había caído durante la noche justo encima de Esteban.

Esteban no se había lastimado. De hecho, habría seguido durmiendo si su hermano no hubiera empezado a dar gritos.

—¿Qué pasa? —preguntó alegremente desde debajo del tablero.

Los señores Chuleta levantaron el tablero.

—¡Cielos! —exclamó la señora Chuleta.

—¡Vaya! —dijo Arturo—. ¡Esteban se ha quedado plano!

—¡Plano como una pared! —dijo el señor Chuleta—. ¡Jamás había visto cosa igual!

—Vamos a desayunar —sugirió la señora Chuleta—. Luego llevaré a Esteban al médico a ver qué dice.

Una vez en el consultorio, el doctor Galán examinó a Esteban por todos lados.

—¿Cómo te sientes? —le preguntó—. ¿Te duele mucho?

—Cuando me desperté sentí como un cosquilleo —dijo Esteban Chuleta—, pero ahora me siento bien.

—Claro, eso es lo que suele suceder en estos casos —dijo el doctor Galán—. Tendremos que mantener a este jovencito en observación —añadió cuando terminó de revisarlo—. A veces los médicos, a pesar de años de práctica y experiencia, nos admiramos de lo poco que sabemos.

La señora Chuleta dijo que tendría que llevar toda la ropa de Esteban a un sastre para que la arreglara, así que el doctor Galán le pidió a la enfermera que le tomara las medidas al niño mientras la señora Chuleta las anotaba.

Esteban medía 1 metro y 20 cm de altura, 30 cm de ancho y 1 cm de grosor.

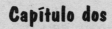

Capítulo dos

La vida plana

Cuando Esteban se acostumbró a ser plano, empezó a encontrarle las ventajas al asunto. Podía entrar o salir de un cuarto sin abrir la puerta; simplemente se tiraba al piso y se deslizaba por el suelo.

Los señores Chuleta decían que hacer eso era una tontería, pero estaban muy orgullosos de su hijo.

A Arturo le daba envidia y una vez intentó

deslizarse por debajo de una puerta, pero sólo consiguió darse un golpe en la cabeza.

Esteban descubrió que ser plano tenía sus cosas buenas.

Una tarde, Esteban y su mamá salieron a caminar y a la señora Chuleta se le cayó su anillo favorito. El anillo salió rodando por la acera y se metió por la reja de una alcantarilla profunda y oscura. La señora Chuleta comenzó a llorar.

—Tengo una idea —dijo Esteban.

Se quitó los cordones de los zapatos y los ató con otro par que tenía en el bolsillo para hacer un cordón largo. Luego ató un extremo del cordón a su cinturón y le pidió a su mamá que sujetara el otro extremo.

—Bájame —le dijo—, y buscaré el anillo.

—Gracias, Esteban —contestó la señora

Chuleta. Empezó a bajar a su hijo entre las ba-
rras y a moverlo con cuidado hacia arriba y hacia
abajo y de un lado a otro, para que pudiera bus-
car el anillo por todo el piso de la alcantarilla.

Dos policías que pasaban por ahí se acerca-ron a ver qué estaba haciendo la señora Chuleta en la alcantarilla con aquel cordón tan largo, pero ella no les hizo caso.

—¿Qué le ocurre, señora? —preguntó el pri-mer policía—. ¿Se le atoró el yoyó?

—¡No estoy jugando al yoyó! —respondió la señora Chuleta con rudeza—. ¡Para su informa-ción, mi hijo está atado al otro extremo de esta cuerda!

—¡Trae la camisa de fuerza, Luis! —gritó el segundo policía—. ¡Acabamos de pescar a una chiflada!

En ese momento, Esteban gritó desde el fondo de la alcantarilla.

—¡Yupi!

La señora Chuleta lo sacó y vio que su hijo había encontrado el anillo.

—¡Bien hecho, Esteban! —exclamó. Luego se dirigió a los policías con enojo—. Una chiflada, ¿verdad? —les dijo—. ¡Les debería dar vergüenza!

Los policías se disculparon.

La verdad, señora, es que no teníamos ni idea —dijeron—. Realmente hemos metido la pata.

—Antes de hacer comentarios groseros, deberían pensarlo dos veces y quedarse callados —los reprendió la señora Chuleta.

Los policías admitieron que esa era una buena norma y dijeron que tratarían de recordarla.

Un día, Esteban recibió una carta de su amigo Tomás Antonio Arce, que se acababa de mudar a California con su familia. Como las vacaciones escolares iban a empezar muy pronto, Tomás quería invitarlo a pasar unos días con ellos.

—Me encantaría ir —dijo Esteban.

El señor Chuleta suspiró.

—Sí, pero el pasaje en tren o avión hasta California es muy caro —dijo—. Pensaré en algo más barato.

Esa misma tarde, el señor Chuleta regresó de su trabajo con un sobre gigante.

—A ver, Esteban —dijo—. Pruébatelo a ver cómo te queda.

El sobre le quedaba perfectamente. La señora Chuleta descubrió que incluso había suficiente espacio para meter un sándwich muy delgado de ensalada de huevo y el estuche de un cepillo de dientes lleno de leche.

En el sobre tuvieron que pegar muchas estampillas para cubrir los gastos de envío y el seguro, pero aun así resultó mucho más barato que un pasaje de tren o avión a California.

Al día siguiente, los señores Chuleta metieron a Esteban en el sobre, junto con el sándwich y el estuche del cepillo de dientes, y lo llevaron al buzón de la esquina. Para que el sobre pasara por la rendija del buzón, lo tuvie-

ron que doblar por la mitad, pero Esteban era un chico flexible.

La señora Chuleta estaba nerviosa porque Esteban nunca había estado solo lejos de casa. Dio un golpecito en el buzón y preguntó:

—¿Me escuchas, cielo? ¿Estás bien?

La voz de Esteban se escuchó con mucha claridad.

—Sí. ¿Ya puedo comerme el sándwich?

—Espera una hora. Y espero que no haga mucho calor por el camino, cariño —le respondió la señora Chuleta. Luego ella y el señor Chuleta se despidieron.

—¡Adiós! —y regresaron a casa.

Esteban la pasó muy bien en California. Cuando terminaron las vacaciones, los Arce lo enviaron de regreso en un hermoso sobre blanco que ellos mismos habían fabricado. Habían dibujado unas rayas azules y rojas para indicar que tenía que ir por avión y Tomás Arce escribió en las dos caras del sobre "Valioso", "Frágil" y "Este lado arriba".

Cuando llegó a su casa, Esteban contó que lo habían transportado con mucho cuidado y no había sentido ni el más mínimo golpe. El señor Chuleta dijo que eso demostraba que los aviones modernos eran fantásticos, al igual que el servicio postal, y que era maravilloso vivir en esta época.

Esteban estaba de acuerdo.

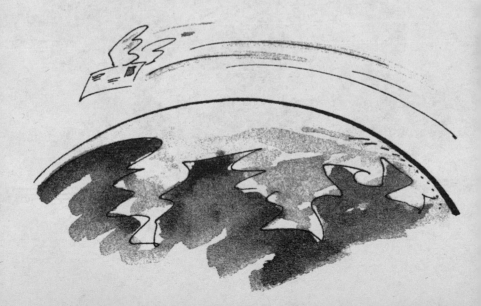

Capítulo tres

Esteban, el niño
cometa

Al señor Chuleta siempre le había gustado llevar a los chicos a algún museo o a patinar en el parque los domingos por la tarde, pero le resultaba muy complicado cruzar las calles o moverse entre la muchedumbre. Muchas veces la gente empujaba a Esteban y a Arturo y el señor Chuleta temía que un taxi pasara a toda velocidad y los atropellara o que alguien chocara con ellos y los tirara al suelo.

Ahora que Esteban era plano, todo era más fácil.

El señor Chuleta descubrió que podía enrollar a Esteban sin lastimarlo. Lo podía atar con un cordel y llevarlo colgando. Era tan sencillo como llevar un paquete y, además, podía darle la otra mano a Arturo.

A Esteban no le importaba que lo cargaran porque nunca le había gustado mucho caminar. A Arturo tampoco le gustaba caminar, pero no le quedaba más remedio que hacerlo, y eso le molestaba.

Un domingo por la tarde, se encontraron con Rafael Juanes, un compañero de universidad del señor Chuleta.

—Vaya, Jorge, ya veo que has comprado papel para empapelar la pared —dijo el señor Juanes—. ¿Estás decorando tu casa?

—¿Papel? —preguntó el señor Chuleta—. ¡Oh, no! Es mi hijo Esteban.

Desató la cuerda y Esteban se desenrolló.

—¿Cómo le va? —dijo Esteban.

—Mucho gusto, muchacho —dijo el señor Juanes—. Oye, Jorge, este chico es plano.

—Y también muy inteligente —dijo el señor Chuleta—. Es el tercero de su clase.

—¡Pues vaya! —dijo Arturo.

—Y este es mi hijo menor, Arturo —dijo el señor Chuleta—, y ahora mismo se disculpará por sus malos modales.

Arturo se sonrojó y se disculpó.

El señor Chuleta enrolló de nuevo a Esteban y todos regresaron a casa. En el camino, empezó a llover con fuerza. Esteban apenas se mojó, sólo un poco en las orillas, pero Arturo llegó empapado.

Esa misma noche, los señores Chuleta oyeron un ruido en la sala. Fueron corriendo y encontraron a Arturo tirado en el piso, cerca del librero, poniéndose encima varios tomos de la Enciclopedia Británica.

—Pónganme más libros encima —les dijo Arturo cuando los vio—. ¡No se queden ahí! ¡Ayúdenme!

El señor y la señora Chuleta lo mandaron de regreso a la cama, pero a la mañana siguiente hablaron con Esteban.

—Arturo está un poco celoso —le dijeron—. Sé amable con él. Después de todo, eres el hermano mayor.

El domingo siguiente, Esteban y Arturo fueron solos al parque. Hacía un día muy soleado, pero con mucho viento. Había muchos chicos haciendo volar unas preciosas cometas de todos los colores del arco iris.

Arturo suspiró.

—Algún día tendré una cometa enorme, ganaré un concurso y me haré famoso. Últimamente, nadie sabe ni quién soy.

Esteban recordó lo que le habían dicho sus padres. Se acercó a un chico al que se le había roto la cometa y le pidió prestado un carrete de hilo.

—¡Arturo, hazme volar a mí! —dijo—. ¡Vamos!

Esteban se ató el hilo en el cuerpo y le dio el carrete a Arturo. Empezó a correr de lado por el césped, para tomar velocidad, y luego giró de cara al viento.

Arriba, arriba, arriba... ¡ARRIBA! Esteban empezó a subir como una cometa.

Sabía exactamente qué tenía que hacer para aprovechar las ráfagas de viento. Si quería subir más, se ponía de frente y si quería ir más rápido, dejaba que el viento le diera por la espalda. De vez en cuando se colocaba con mucho cuidado de lado, para no encontrar resistencia, y luego se deslizaba con elegancia hacia el suelo.

Arturo desenrolló todo el hilo y Esteban empezó a planear por encima de los árboles. Verlo allí arriba, con su camisa roja y sus pantalones azules que resaltaban contra el cielo azul, era un espectáculo.

Toda la gente se quedó mirando.

Esteban se movía rítmicamente hacia la derecha y luego hacia la izquierda. Pegaba los brazos al cuerpo y se dejaba caer en picado hacia la tierra, como un cohete, y luego daba un giro, y subía de nuevo, en dirección al sol. Planeaba, hacía círculos y dibujaba ochos, cruces y estrellas en el aire.

Nunca nadie había volado de la forma en que Esteban Chuleta lo hizo aquel día y probablemente, nadie será capaz de repetir la hazaña.

Al cabo de un rato, la gente, como es lógico, comenzó a cansarse de mirar hacia arriba y Arturo se cansó de correr de un lado a otro, pero Esteban siguió volando y alardeando.

Tres niños se acercaron a Arturo y lo invitaron a comer un bocadillo y a tomar un refresco. Arturo dejó el carrete enganchado en la rama de

un árbol. Estaba tan distraído comiendo, que no se dio cuenta de que el viento había enredado todo el hilo en el árbol.

El hilo se había hecho cada vez más corto y Esteban no se había dado cuenta de lo bajo que estaba volando, hasta que sus pies chocaron con las ramas del árbol y entonces, ya era demasiado tarde. Se quedó todo enredado entre las ramas. Esteban empezó a gritar, pero Arturo y los otros niños no lo oyeron ni fueron a desatarlo hasta quince minutos más tarde.

Esteban estuvo toda la tarde sin hablar a su hermano, y por la noche todavía seguía enojado, aunque Arturo ya se había disculpado.

La señora Chuleta, que estaba con su esposo en la sala, suspiró y comentó, moviendo la cabeza:

—Tú, claro, te pasas todo el día divirtiéndote

en la oficina y no tienes ni idea de lo que yo tengo
que pasar con estos niños. Son tan difíciles...

—Así son los niños —respondió el señor
Chuleta—. Tienen sus épocas. Debes tener pa-
ciencia, querida.

Capítulo cuatro

Los ladrones del museo

El señor Alfredo Punzón y su esposa vivían en el apartamento de arriba del mismo edificio. El señor Punzón era un hombre importante. Era el director del Museo de Arte Famoso que estaba en el centro de la ciudad.

Un día, Esteban Chuleta subió en el ascensor con el señor Punzón, y le dio la impresión de que el señor Punzón, que solía ser un hombre jovial, estaba preocupado, aunque no tenía ni idea de cuál podría ser la razón. Luego, una ma-

ñana, a la hora del desayuno, escuchó que el señor y la señora Chuleta hablaban sobre el señor Punzón.

—Por lo visto —dijo el señor Chuleta mientras leía el periódico sobre la taza de café—, han robado otro cuadro del Museo de Arte Famoso. Aquí dice que Alfredo Punzón, el director, está desesperado.

—¡Oh, cariño! ¿Y la policía no puede hacer nada? —preguntó la señora Chuleta.

—Parece ser que no —dijo el señor Chuleta—. Mira lo que dijo el jefe de la policía: "Sospechamos que es un grupo de ladrones de guante blanco y esos son los peores. Trabajan muy sigilosamente y es muy difícil pillarlos. Sin embargo, mis hombres y yo lo vamos a seguir intentando. Mientras tanto, espero que todo el mundo compre boletos para el campeonato de béisbol de la policía y que nadie estacione su automóvil donde no esté permitido".

A la mañana siguiente, Esteban Chuleta escuchó al señor Punzón hablando con su esposa en el elevador.

—Estos ladrones de guante blanco trabajan por la noche —dijo el señor Punzón—. A nuestros guardias les resulta muy difícil permanecer despiertos por la noche, después de haber trabajado todo el día. Y el Museo de Arte Famoso es

tan grande que no se pueden vigilar todos los cuadros a la vez. Me temo que ya no hay nada que hacer.

De repente, como si se le hubiera encendido una bombillita en la cabeza, a Esteban Chuleta se le ocurrió una idea y se la comunicó al señor Punzón.

—Esteban —dijo el señor Punzón—, si tu madre te da permiso, llevaremos a cabo tu plan esta misma noche.

La señora Chuleta le dio permiso.

—Pero esta tarde tendrás que dormir una siesta muy larga —dijo—. Si no lo haces, no te dejaré quedarte despierto hasta tan tarde.

Esa misma noche, después de la siesta, Esteban se fue con el señor Punzón al Museo de Arte Famoso. El señor Punzón lo llevó hasta la sala

principal, donde estaban los cuadros más famosos. Señaló un cuadro enorme de un hombre con barba y un sombrero de terciopelo que tocaba el violín para una señora que estaba tumbada sobre un sofá. Detrás de ellos había un centauro y arriba, tres niños con alas.

—¡Este es el cuadro más caro del mundo! —
explicó el señor Punzón.

En la pared de enfrente había un marco
vacío. Sobre esto hablaremos más adelante.

—Es hora de que te pongas tu disfraz —le
dijo el señor Punzón a Esteban.

—Ya lo había pensado —exclamó Esteban Chuleta—, y me traje un disfraz de vaquero. Tengo un pañuelo rojo para taparme la cara. Nadie me reconocerá.

—No —dijo el señor Punzón—. Tienes que ponerte el disfraz que yo te dé.

De un armario sacó un vestido blanco con un cinturón azul, un par de zapatos pequeños, lustrosos y puntiagudos, un sombrero de paja con una cinta azul que combinaba con el cintu-

rón, una peluca y un bastón. La peluca era de cabello rubio, largo y con bucles. El bastón era curvo en la parte superior y también llevaba atado un lazo azul.

—Si te pones este disfraz de pastora tendrás el mismo aspecto que los otros personajes de los cuadros de esta sala —dijo el señor Punzón—. Aquí no hay cuadros de vaqueros.

Esteban estaba tan molesto que apenas podía hablar.

—Lo que voy a tener es aspecto de niña —dijo—. Ojalá nunca se me hubiera ocurrido esta idea.

Pero como era buena persona, al final se puso el disfraz.

Cuando se vistió, el señor Punzón ayudó a Esteban a treparse al marco vacío. Esteban consiguió sujetarse en la pared porque al señor

Punzón se le había ocurrido clavar cuatro clavitos, uno para cada pie y mano.

El marco era perfecto. Una vez en la pared, Esteban parecía un cuadro más.

—Excepto por una cosa —dijo el señor Punzón—. Se supone que las pastoras se ven felices. Sonríen a sus ovejas y al cielo. Tú pareces furioso.

Esteban hizo un esfuerzo por adoptar una mirada soñadora e incluso sonreír un poco.

El señor Punzón se alejó unos cuantos metros y lo observó durante unos minutos.

—Bien —exclamó—, puede que no sea una pintura famosa, pero me gusta.

Luego, dejó a Esteban solo y se fue a su oficina para asegurarse de que las otras partes del plan estuvieran listas.

La sala principal estaba muy oscura. Por una de las ventanas entraba un poquito de la luz de la luna y Esteban apenas podía ver el cuadro más caro del mundo. Le dio la impresión de que todos: el hombre de la barba y el violín, la señora del sofá, el centauro y los niños con alas estaban igual que él, esperando que pasara algo.

A medida que pasaban las horas, Esteban se sentía más cansado. Cualquiera se habría sentido cansado a esas horas de la noche, sobre todo si te tienes que quedar quieto dentro de un cuadro y apoyado en cuatro clavitos.

"A lo mejor no vienen —pensó Esteban—. A lo mejor los ladrones ni se presentan por aquí."

La luna se escondió tras una nube y la sala se quedó oscura como la boca de un lobo. No se escuchaba ni el menor ruido. Esteban sintió que los pelos de la nuca se le erizaban bajo los bucles rubios de la peluca.

Cr-iii-iii-k...

Se oyó un crujido que venía directamente del centro de la sala y, justo en ese momento y en ese mismo lugar, Esteban vio un ligero resplandor.

Volvió a oír el crujido y el resplandor se hizo más grande. ¡Se abrió una trampilla que había en el suelo y por ahí salieron dos hombres!

Esteban enseguida se dio cuenta de lo que estaba pasando. "¡Estos deben de ser los ladrones! Tenían una entrada secreta que les permitía colarse en el museo. Por eso nunca los habían descubierto. ¡Y esta noche quieren robar el cuadro más caro del mundo!"

Se quedó muy quieto en su marco y escuchó lo que decían los ladrones.

—Este es, Max —dijo el primero—. Este es el momento en el que nosotros, los ladrones, nos dedicamos a trabajar, mientras el resto del mundo civilizado duerme.

—Así es, Lutero —dijo el otro—. En toda esta ciudad, nadie sospecha de nosotros.

"¡Ja, ja! —pensó Esteban Chuleta—. ¡Eso es lo que ustedes se creen!"

Los ladrones colocaron su linterna en el piso

y descolgaron el cuadro más caro del mundo.

—Max, si alguien intentara capturarnos ¿qué le haríamos? —preguntó el primer hombre.

—Lo mataríamos ¿qué íbamos a hacer si no? —contestó su amigo.

Ese comentario bastó para que Esteban se empezara a morir de miedo, y le entró más miedo aun cuando Lutero se acercó y se quedó mirándolo.

—Mira a esta pastora —dijo Lutero—. Yo pensé que las pastoras normalmente sonreían, Max. Esta se ve asustada.

Justo a tiempo, Esteban consiguió esbozar algo parecido a una sonrisa.

—Tú estás loco, Lutero —dijo Max—. Sí está sonriendo y además es una niña muy linda.

A Esteban eso sí que le molestó. Esperó a que los ladrones se volvieran hacia el cuadro más caro del mundo y empezó a gritar lo más fuerte que pudo.

—¡POLICÍA! ¡POLICÍA! ¡SEÑOR PUNZÓN! ¡AQUÍ ESTÁN LOS LADRONES!

Los ladrones se miraron uno al otro.

—Max —dijo el primero—, me parece que acabo de oír gritar a la pastora.

—Creo que yo también la oí —dijo Max con

voz temblorosa—. ¡Qué horror, pinturas que gritan! Creo que necesitamos un descanso.

—¡Ya lo creo que van a descansar! —gritó el señor Punzón, que entró corriendo con el jefe de la policía y muchos guardias —. Y durante muuuucho tiempo. ¡Ya lo creo! ¡Ja, ja, ja!

Los ladrones estaban demasiado confundidos para apreciar la broma del señor Punzón y demasiado asustados como para resistirse a la policía.

Antes de que se dieran cuenta ya iban esposados camino a la cárcel.

A la mañana siguiente, Esteban Chuleta recibió una medalla en la oficina del jefe de la policía. Un día después, su fotografía apareció en todos los periódicos.

Capítulo cinco

Arturo tiene una
buena idea

Durante una época, Esteban Chuleta se hizo muy famoso. Siempre que iba a algún sitio, lo miraban y lo señalaban, y oía a la gente susurrar: "¡Mira! Ese debe de ser Esteban Chuleta, el que atrapó a los ladrones..." y cosas parecidas.

Pero al cabo de unas semanas, se acabaron los comentarios. La gente tenía otras cosas en qué pensar. A Esteban no le importó. Ser famoso le había divertido, pero ya era suficiente.

Luego vino otro cambio que no le resultó

nada agradable. La gente empezó a reírse de su aspecto y a burlarse de él. Le decían, por ejemplo, "¡Hola, superflaco!" y cosas peores.

Esteban les comentó a sus padres lo mal que se sentía.

—Lo que más me preocupa son los otros niños —dijo—. Ya no les caigo bien porque soy diferente. Soy plano.

—¡Les debería dar vergüenza! —dijo la señora Chuleta—. Está muy mal eso de rechazar a alguien por su forma.

—Ya lo sé —dijo Esteban—. Aunque es imposible que a todo el mundo le guste todo el mundo.

—Tal vez —contestó la señora Chuleta—, pero podrían intentarlo.

Aquella noche, Arturo Chuleta se despertó porque oyó llorar a alguien. En medio de la oscuridad, se arrastró hasta la cama de Esteban y se arrodilló a su lado.

—¿Estás bien? —le preguntó.

—Vete —dijo Esteban.

—No te enojes conmigo —dijo Arturo—. Supongo que sigues enojado porque dejé que te enredaras el día que hiciste de cometa.

—Déjame, ¿quieres? —dijo Esteban—. No estoy enojado. Vete.

—Por favor, seamos amigos... dijo Arturo sin poder evitar llorar él también—. Esteban, por favor, dime qué te pasa.

Pasó un buen rato hasta que Esteban contestó.

—Lo que pasa —dijo—, es que ya no soy feliz. Estoy cansado de ser plano. Quiero ser normal, como el resto de la gente, pero seguiré siendo plano toda mi vida.

—Esteban... —dijo Arturo, secándole las lágrimas con una esquina de la sábana.

—No le digas a nadie lo que te dije —le pidió Esteban—. No quiero preocupar a papá y mamá. Eso sólo empeoraría las cosas.

—Eres muy valiente —dijo Arturo—. Realmente lo eres.

Tomó la mano de Esteban y los dos hermanos se sentaron en la oscuridad, de nuevo como amigos. Ambos seguían tristes, pero se sentían un poquito mejor que antes.

De repente, a Arturo se le ocurrió una idea. Saltó de la cama, encendió la luz, corrió al baúl

en el que guardaban los juguetes y comenzó a revolver lo que había dentro.

Esteban se incorporó en la cama para observarlo.

Del baúl sacó una pelota, algunos soldaditos de plomo, aviones teledirigidos, docenas de bloques de madera...

—¡Ajá! —dijo cuando encontró lo que estaba buscando: un inflador de bicicletas. Lo sostuvo en sus manos y él y Esteban se miraron.

—Está bien —dijo por fin Esteban—, pero ten mucho cuidado.

Esteban se puso el extremo de la manguera del inflador en la boca y apretó los labios para que no se escapara el aire.

—Voy a hacerlo muy despacito —dijo Arturo—. Si te duele o algo, levanta la mano.

Arturo comenzó a inflar. Al principio no

pasó nada, excepto que las mejillas de Esteban
se hincharon. Como Estaban no movía la mano,
Arturo continuó inflando. De pronto, la mitad
superior de su cuerpo empezó a hincharse.

—¡Funciona! ¡Funciona! —gritó Arturo,
mientras seguía inflando.

Esteban estiró los brazos para que el aire

corriera por su interior con más facilidad. Cada
vez se iba haciendo más y más grande. Los bo-
tones de la camisa de su pijama se desprendie-
ron, *¡pop, pop, pop!* Al cabo de un rato, todo se
le había vuelto a poner redondo: la cabeza y el

cuerpo, los brazos y las piernas. Todo, menos su pie derecho, que todavía seguía plano.

Arturo dejó de bombear.

—Es como tratar de inflar uno de esos globos largos hasta el final —dijo—. A lo mejor es más fácil si lo sacudes.

Esteban sacudió dos veces el pie y este empezó a hincharse hasta que se volvió del mismo tamaño que el otro. Esteban Chuleta estaba como antes, como si nunca hubiera sido plano.

—Muchas gracias, Arturo —dijo Esteban.

Los hermanos se estaban dando la mano, cuando el señor Chuleta entró en la habitación, seguido de la señora Chuleta.

—¡Los hemos escuchado! —dijo el señor Chuleta—. Despiertos y hablando cuando deberían estar dormidos, ¿eh? Les debería dar...

—¡JORGE! —dijo la señora Chuleta— ¡Esteban es redondo de nuevo!

—¡Es verdad! —dijo el señor Chuleta—. ¡Muy bien hecho, Esteban!

—Fui yo quien lo hizo —dijo Arturo.

Todos se emocionaron y se alegraron muchísimo. La señora Chuleta preparó chocolate caliente para celebrarlo y brindaron varias veces por la inteligencia de Arturo.

Cuando la pequeña fiesta terminó, el señor y la señora Chuleta arroparon a los niños en sus camas, los besaron y apagaron la luz.

—Buenas noches —dijeron.

—Buenas noches —respondieron Esteban y Arturo.

Había sido un día muy largo. Pronto todos los Chuleta se quedaron dormidos.